# A. SCRIABIN

## CONCERTO

## PIANO
### AND
## ORCHESTRA

F# MINOR - OP. 20

SCORE

BROUDE BROS.   NEW YORK

# CONCERTO
# PIANO AND ORCHESTRA
## I.

A. Scriàbine, Op. 20.

Broude Bros
New York

Printed in U.S.A.

1
I.
Clar. (A)
Fag.
Piano.
Viol. I.
Viol. II.
div.
V-le.
V-clli.
C-bassi.
p
cresc.
mf
Fl.
dim.
pp
Solo

Fl.
Ob.
Clar.(A)
Fag.
Piano.
Viol. I.
Viol. II.
V-le.
V-clli.
C-bassi.
dim.
pp
Solo
f
ff
I. II.
Cor. (F)
III. IV.
rubato
p
m.g.
div.

2
Clar. (A)
Fag.
Cor. I.II. (F)
Solo
Piano.
m.g.
accelerando
Viol. I.
Viol. II.
V-le.
V-clli.
C-bassi.
pizz.
2
più mosso, scherzando M. M. 𝅗𝅥 = 152
I.
più mosso, scherzando
cresc.
più mosso, scherzando
pizz.

6

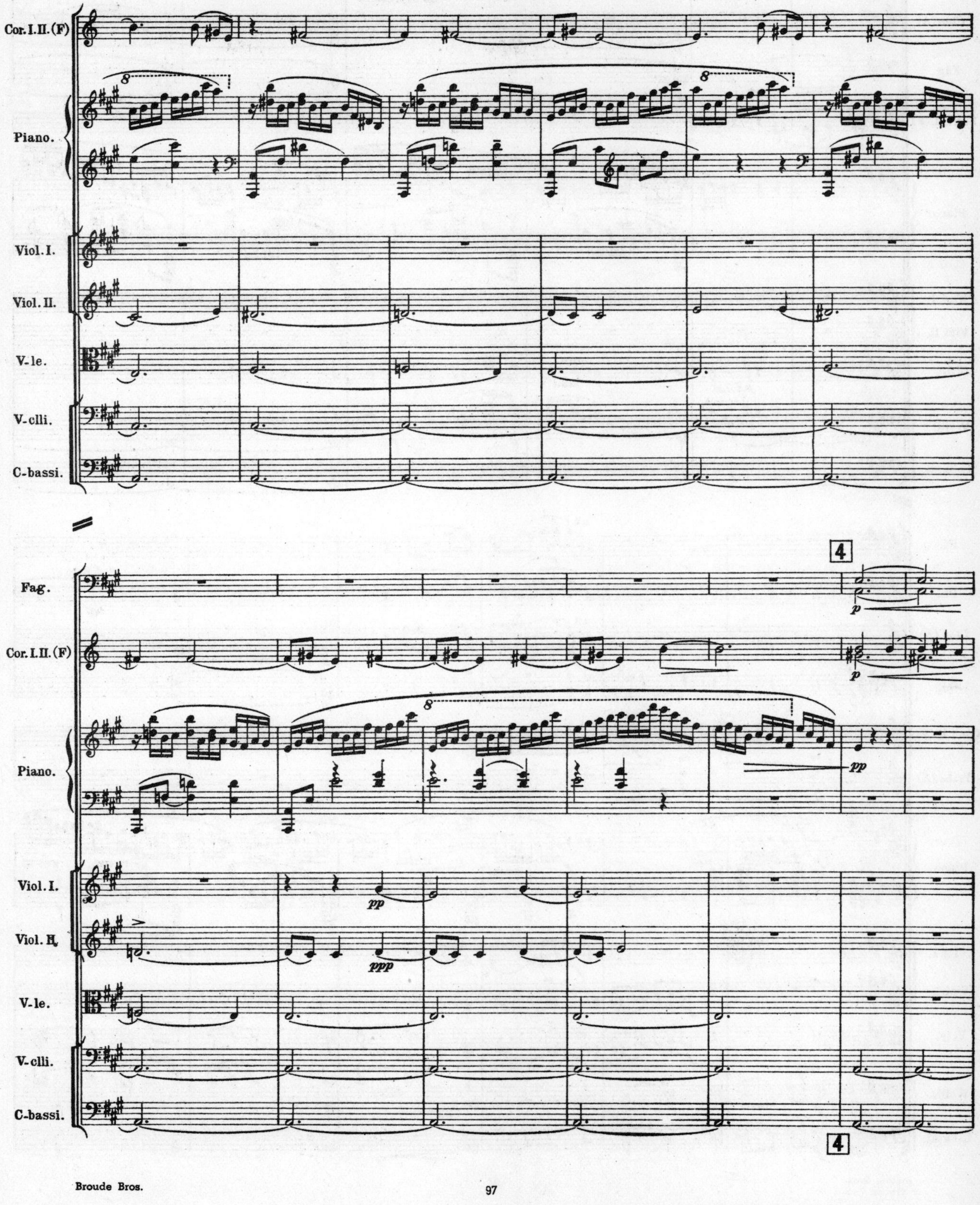

Cor. I. II. (F)
Piano.
Viol. I.
Viol. II.
V-le.
V-clli.
C-bassi.
Fag.
4
p
pp
ppp

Ob.
Clar. (A)
Fag.
Cor. I. II. (F)
Piano.
Viol. I.
Viol. II.
V-le.
V-clli.
C-bassi.
I. Solo
mp espressivo
p
p dolce
div.
cresc.
Fl.
Tr-be. (A)
a2.
I.
II.
f
unis.
dolce
mp

Broude Bros.

Broude Bros.

6
Solo.
I.
Clar. (A)
Fag.
mf
p
pp
Cor. I.II. (F)
ppp
Piano.
Viol. I.
Viol. II.
V-le.
V-clli.
div.
pizz.
arco
C-bassi.
Fl.
II. pp
ppp sempre

Fl.
Ob.
Clar. (A)
Fag.
I. II.
Cor. (F)
III. IV.
III.
IV.
Piano.
cresc.
Viol. I.
Viol. II.
V-le.
unis. arco
V-celli.
C-bassi.
7 Meno.
mf
dim.
sf
p
Meno.
div.
fpp
7 fpp

Fag.
Cor. I. (F)
Piano.
Viol. I.
Viol. II.
V-le.
V-clli.
C-bassi.
Fl.
Ob.
Clar. (A)
poco rit.
cresc.

a 2.
8
Fl.
ff
Ob.
Clar.(A)
a 2
Fag.
Cor. I. II.(F)
f
Piano.
3
Viol. I.
Viol. II.
div.
V-le.
V-clli.
unis.
C-bassi.
8
a 2.

Fl.
Ob.
Clar. (A)
Fag.
I. II.
Cor. (F)
III. IV.
Tr-be (A)
Timp.
appassionato
rit.
Piano.
Viol. I.
Viol. II.
V-le.
div.
V-clli.
C-bassi.

15
Fl.
Ob.
Clar. (A)
Fag.
I.II.
Cor. (F)
III.IV.
Tr-be (A)
Timp.
rubato
mf
m.g.
m.g.
Piano.
Viol. I.
Viol. II.
V-le.
V-clli.
C-bassi.

9
Solo.
I.
Clar.(A)
p
Solo
Cor. I.II.(F)
II.
pp
accelerando
Piano.
Viol. I.
Viol. II.
V-le.
V-celli.
pizz.
C-bassi.
Fl.
più mosso, scherzando
pizz.

Fl.
Ob.
Clar.(A)
Fag.
Piano.
Viol. I.
Viol. II.
V-le.
V-clli.
C-bassi.
I.
p
8
dim.
arco
mf
div.
poco rit.
pp
pizz.

Fl.
I.
Piano.
rit.
Viol.I.
Viol.II.
V-le.
V-clli.
pizz.
pp
C-bassi.
pizz.
pp
10
Fag.
I. Solo.
f
Tempo I.
Piano.
p
Viol.I.
pp
Viol.II.
pp
V-le.
pp
V-clli.
arco
ppp sempre
C-bassi.
arco
ppp sempre
10

Ob.
Clar.(A)
Fag.
Piano.
Viol.I.
Viol.II.
V-le.
V-clli.
C-bassi.
I.
cresc.
p
11
Fl.
Cor. I.II.(F)
Timp.
f
dim.
cresc.
cresc. poco

Fl.
Ob.
Clar.(A)
Fag.
Cor.I.II.(F)
Timp.
mf
Piano.
pp
dolciss.
cresc.
Viol.I.
pp
Viol.II.
pp
V-le.
pp
V-celli.
pp
C-bassi.
pp
12
Fag.
f
Timp.
p cresc.
mf
Piano.
ff
sf
sf
8
f
Viol.I.
cresc.
f
Viol.II.
cresc.
f
V-le.
cresc.
f
V-celli.
cresc.
marcato
f
C-bassi.
cresc.
marcato
12
f

a 2.
Fl.
Ob.
Clar. (A)
Fag.
I. II.
Cor. (F)
III. IV.
Tr-be (A)
Timp.
Piano.
Viol. I.
Viol. II.
V-le.
V-clli.
C-bassi.
ff
mf
cresc.
f
p
mp
div.

Fl.
Ob.
Clar.(A)
Fag.
I. II.
Cor.(F)
III. IV.
Tr-be(A)
Timp.
Piano.
Viol. I.
Viol. II.
V-le.
V-clli.
C-bassi.
ff
fff
cresc.
div.
unis.
tr

# II.

1
Clar. (A)
Var. I.
Piano.
pp
legato
Viol. I.
Viol. II.
V-le.
V-clli.
C-bassi.
1
Clar. (A)
II. pp
p
Fag.
pp
8
Piano.
Viol. I.
Viol. II.
pp
V-le.
pp
V-clli.
pp
C-bassi.

Ob.
Clar. (A)
Fag.
Piano.
Viol. I.
Viol. II.
V-le.
V-clli.
C-bassi.
I.
p
cresc.
mf
dim.
pp

Clar. (A)
Fag.
Piano.
Viol. I.
Viol. II.
V-le.
V-clli.
C-bassi.
dim.
pp
p
2
Allegro scherzando. M. M. 𝅗𝅥 = 108.
Fl.
Ob.
Var. II.
mf
cresc.
f
Allegro scherzando.
senza sord.
pizz.

Fl.
Ob.
Clar. (A)
Fag.
Cor. I. II. (F)
Piano.
Viol. I.
Viol. II.
V-le.
V-clli.
C-bassi.
a 2.
f
mf
pizz.
arco

**Var. III.** 3 Adagio. M. M. ♩ = 40.

Piano.
cresc.
Viol. I.
Viol. II.
V-le.
Soli.
mf
V-celli.
C-bassi.
mp
cresc.
ff
senza sord.
pp
4
Allegretto.
M. M. ♩. = 46.
1. Solo. espr.
Clar. (A)
p
Var. IV.
8
Allegretto.
pp

Clar. (A)
Fag.
Piano.
Viol. I.
Viol. II.
V-le.
V-celli.
C-bassi.
I. Solo.
dim.
cresc.
mf
f
p
tr

Clar. (A)
Piano.
Viol. I.
Viol. II.
V-le.
V-clli.
C-bassi.
cresc.
mf
dim.
p dolce
5
Tempo I. (Andante.)
I. Solo.
Cor. I. (F)
legato
divisi

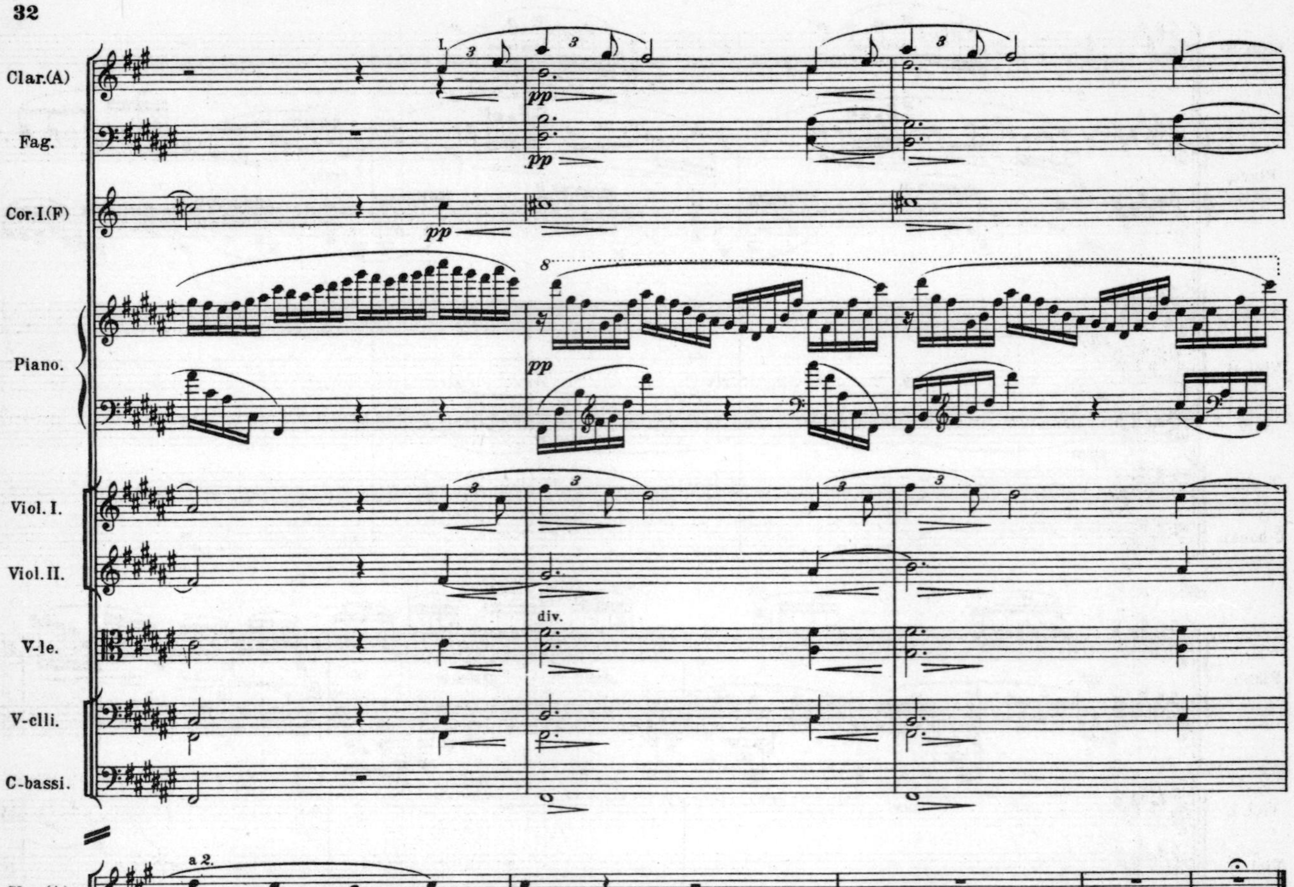


+Sons bouchés (gestopft).

# III.

Ob.
Clar. (A)
Fag.
Cor. I. II. (F)
Piano.
Viol. I.
Viol. II.
V-le.
V-clli.
C-bassi.
I. Solo.
I.
div.
fp
mf
f
pp
1
Clar. (A)
Fag.
Piano.
Viol. I.
Viol. II.
V-le.
V-clli.
C-bassi.
Solo.
p
ff
mf
dim.
1

Ob.
Clar.(A)
I.Solo.
Fag.
Cor. I.(F)
Piano.
Viol. I.
Viol. II.
V-le.
V-clli.
C-bassi.
I.
Solo.

Broude Bros.

Fl.
Ob.
Clar.(A)
Fag.
Cor. I.(F)
Piano.
Viol. I.
Viol. II.
V-le.
V-celli.
C-bassi.
a2.
I. Solo.
I.
m.d.
sul D.
mp
mf
f
Cor. I.II.(F)
3
Meno. M.M. 𝅗𝅥 = 88.
pp
cantabile
cresc.
sf
p dim.
Meno.

Clar.(A)
Fag.
I. Solo.
Cor. I.II.(F)
Piano.
cresc.
dim.
poco rit.
I.
Viol. I.
Viol. II.
V-le.
V-celli.
C-bassi.
cresc.

4
I. Solo.
Clar.(A)
Fag.
Cor. I.II.(F)
Piano.
Viol. I.
Viol. II.
V-le.
V-clli.
C-bassi.
appassionato
dim.
mp
cresc.
p
ppp
div.
Solo.
Ob.
Cor. I.(F)
mf
Ped. con sord.
senza Ped.

Ob.
Clar. (A)
Cor. I. (F)
Piano.
Viol. I.
Viol. II.
V-le.
V-clli.
C-bassi.
I.
mf
dim.
p
pp
Ped.
Ped. con sord.
Soli
Fl.
Fag.
a 2.
f
cresc.
5

Fl.
Ob.
Clar. (A)
Fag.
Cor. I. II. (F)
Piano.
Viol. I.
Viol. II.
V-le.
V-clli.
C-bassi.
a 2.
I. Solo
poco rit.

6
Clar. (A)
Fag.
Cor. I. II. (F)
Piano.
Viol. I.
Viol. II.
V-le.
V-clli.
C-bassi.
I.
pp sempre
f
mp
8
dolce poco rit.
pp

7
Fl.
Ob.
Clar.(A)
Fag.
Cor.I.II.(F)
Piano.
Viol.I.
Viol.II.
V-le.
V-clli.
C-bassi.
a 2.
f
mf
p
sul G
div.
I.
7

Fl.
Ob.
Clar.(A)
Piano.
Viol. I.
Viol. II.
V-le.
V-clli.
C-bassi.
Fag.
8 Molto meno mosso.
Molto meno mosso.
Soli.
unis.
I.
ff
f
p
pp
mp

Clar. (A)
Fag.
Piano.
Viol. I.
Viol. II.
V-le.
V-clli.
C-bassi.
cresc.
Fl.
Ob.
Clar. (A)
Fag.
Cor. I. II. (F)
a 2.
Piano.
Viol. I.
Viol. II.
V-le.
V-clli.
C-bassi.
cresc.

Maestoso.
9
Fl. picc.
Fl.
Ob.
Clar. (A)
Fag.
I. II.
Cor. (F)
III. IV.
Tr-bni.
Timp.
Piano.
Viol. I.
Viol. II.
V-le.
V-clli.
C-bassi.
cresc.
ff
a2.
Solo espr.
mf
p
ffp
rubato
Maestoso.
9

Fl. picc.
Fl.
Ob.
Clar. (A)
Fag.
I. II.
Cor. (F)
III. IV.
Tr-bni.
Timp.
Piano.
Viol. I.
Viol. II.
V-le.
V-clli.
C-bassi.
ben marcato il canto
m.g.
fff

10
Fl. picc.
Fl.
a 2.
Ob.
Clar. (A)
Fag.
I. II.
Cor. (F)
III. IV.
Tr-be (A)
Tr-bni.
Piano.
Viol. I.
Viol. II.
V-le.
V-clli.
C-bassi.
10

stringendo
allarg.
Fl. picc.
Fl.
Ob.
Clar. (A)
Fag.
a 2.
I. II.
Cor. (F)
III. IV.
a 2.
Tr-be (A)
Soli
a 2.
Tr-bni.
Piano.
fff
stringendo
allarg.
Viol. I.
Viol. II.
V-le.
V-clli.
C-bassi.

Broude Bros.

97

Fl. picc.
Fl.
fp
I.
p
Ob.
fp
Clar. (A)
fp
a 2.
Fag.
fp
I. II.
mf
Cor. (F)
III. IV.
mf
Tr-be (A)
pp
8
dim.
p
Piano.
Viol. I.
fp
p
Viol. II.
fp
p
Soli.
V-le.
fp
f
V-clli.
fp
p
C-bassi.
fp
p

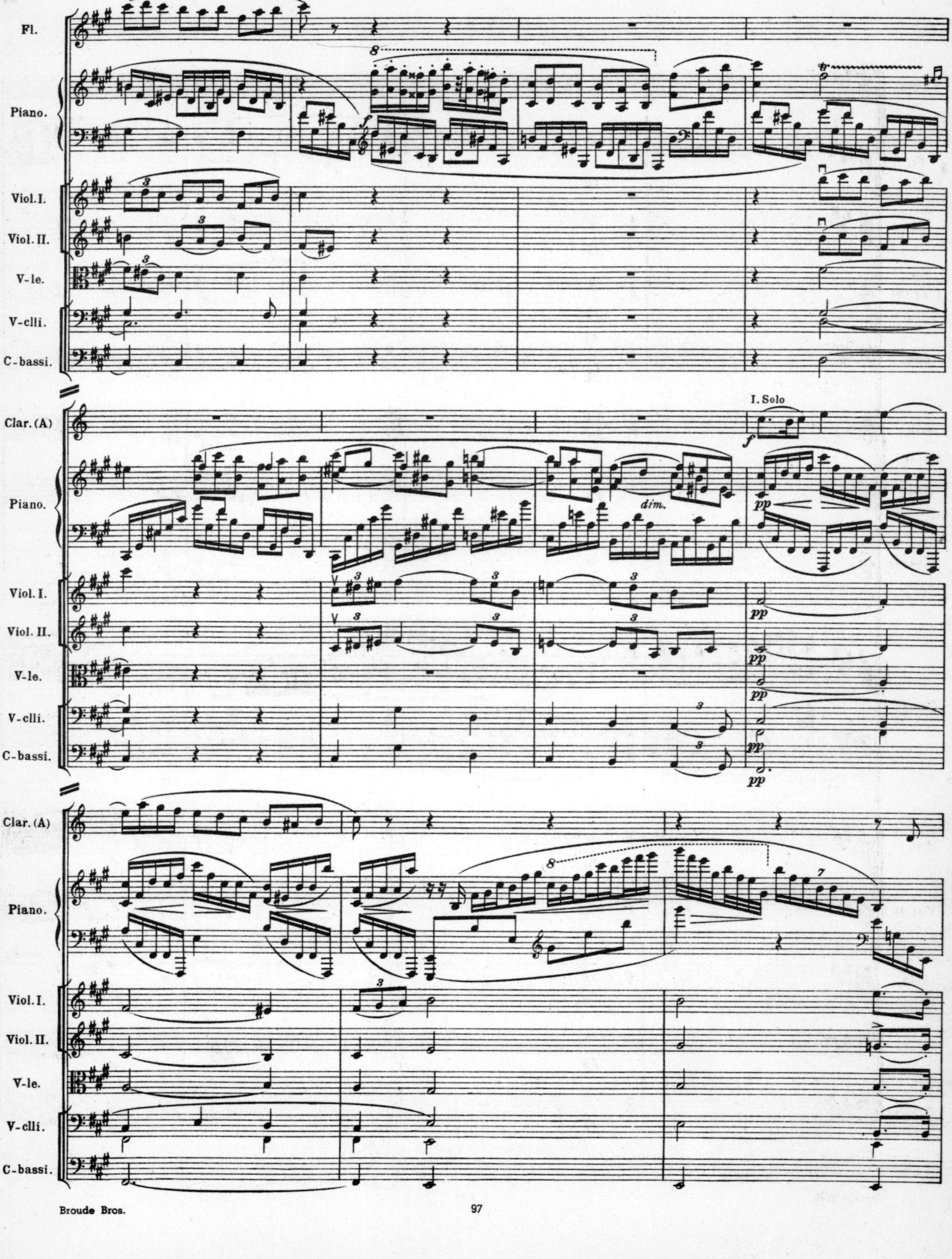
Fl.
Piano.
Viol. I.
Viol. II.
V-le.
V-clli.
C-bassi.
Clar. (A)
I. Solo
dim.
pp

Clar. (A)
I.
mf
Piano.
p
Viol. I.
Viol. II.
V-le.
V-clli.
C-bassi.
12
Fl.
I.
p
a 2.
f
Ob.
Fag.
Cor. I. (F)
mf
12

13
a 2.
Fl.
Ob.
Clar. (A)
Fag.
Cor. I. II. (F)
I.
Piano.
sul G
Viol. I.
Viol. II.
V-le.
V-celli.
C-bassi.
mf
ff
Cor. I. (F)
sul D
I Solo.
mp
tr

Fag.
Cor. I.(F)
Piano.
Viol. I.
Meno.
14
pp
mf
cresc.
sf
dim.
p
Clar. (A)
V-le.
V-celli.
C-bassi
rall.
I.
I. Solo.
Solo.
Soli.
Ob.
a 2.
rubato
appassionato
f
ff
Viol. II.
C-bassi.

Clar.(A)
Fag.
Piano.
Viol. I.
Viol. II.
V-le.
V-celli.
C-bassi.
pp
sf
appass.
p
cresc.
15
Ob.
Solo.
I.
mf
dim.
ff
mp
Ped. con sord.
ppp

Ob.
Clar.(A)
I.II.
Piano.
p
cresc.
mf
dim.
pp
Ped. con sord.
Viol.I.
Viol. II.
V-le.
V-celli.
C-bassi.
Clar.(A)
Piano.
cresc.
Viol.I.
Viol. II.
V-le.
V-celli.
C-bassi.

Cor. I.II.(F)
Soli.
pp
Piano.
8
dim.
3
5
p
pp
Viol. I.
Viol. II.
V-le.
V-celli.
C-bassi.
dim.
p
Cor. I.II.(F)
Piano.
Viol. I.
Viol. II.
V-le.
V-celli.
C-bassi.
pp

16
I. Solo
Fl.
Cor. I. (F)
pp
Piano.
pp
Viol. I.
Viol. II.
V-le.
espress.
V-celli.
espress.
C-bassi.
16
I. Solo
Fl.
p
mf
Cor. I. (F)
I.
p
Piano.
mf
dim.
mp
Viol. I.
mf
mp
Viol. II.
mf
mp
V-le.
Soli.
mf
mp
V-celli.
mf
mp
C-bassi.
mf
mp

Fl.
Ob.
Clar. (A)
Fag.
Cor. I. (F)
Piano.
Viol. I.
Viol. II.
V-le.
V-celli.
C-bassi.
I.
II
mf
p
cresc.
Ob.
Clar. (A)
Fag.
Tromba I. (A)
Solo.
pp
Piano.
Viol. I.
Viol. II.
V-le.
V-celli.
C-bassi.
17

Fl. picc.
Fl.
I.
mf
cresc. molto
Ob.
Clar. (A)
Fag.
I. II.
Cor. (F)
III. IV.
Trb-ni.
Piano.
cresc.
f
Viol. I.
Viol. II.
V-le.
V-celli.
C-bassi.

Fl. picc.
Fl.
Ob.
Clar.(A)
Fag.
I. II.
Cor.(F)
III. IV.
Tr-bni.
Piano.
Viol. I.
Viol. II.
V-le.
V-clli.
C-bassi.
pavillon en l'air
a 2.
cresc.
ff
f
mf

Fl. picc.
Fl.
a 2.
Ob
Clar. (A)
a 2.
Fag.
I. II.
Cor. (F)
III. IV.
Tr-bni.
mf
mf
mf
mf
Timp.
f
appassionato
Piano.
ff
cresc.
fff
Viol. I.
cresc.
fff
Viol. II.
cresc.
fff
V-le.
cresc.
fff
V-clli.
cresc.
fff
C-bassi.
cresc.

Più mosso.
Fl picc.
Fl.
mf scherzando
Ob.
a 2.
mf scherzando
Clar.(A)
mf
Fag.
mf
I. II.
Cor. (F)
III. IV.
Tr-bni.
Timp.
Più mosso.
Piano.
dim.
Più mosso.
Viol. I.
dim.
pp
Viol. II.
dim.
pp
V-le.
dim.
pp
V-celli.
dim.
pp
C-bassi.
dim.
pp

Fl. picc.
Fl.
Ob.
Clar. (A)
Fag.
I. II.
Cor. (F)
III. IV.
Tr-bni.
Piano.
Viol. I.
cresc.
f
Viol. II.
cresc.
f
V-le.
cresc.
V-elli.
cresc.
C-bassi.
cresc.

18
Fl. picc.
Fl.
Ob.
Clar. (A)
Fag.
I. II.
Cor. (F)
III. IV.
Tr-be. (A)
Tr-bni.
Piano.
Viol. I.
Viol. II.
V-le.
V-olli.
C-bassi.
cresc.
ff
pavillon en l'air
a 2.
p
f
fff
18

Fl. picc.
Fl.
Ob.
Clar. (A)
Fag.
a 2.
I. II.
Cor. (F)
III. IV.
Tr-be. (A)
a 2.
Tr-bni.
Timp.
p cresc.
Piano.
Viol. I.
Viol. II.
V-le.
V-elli.
C-bassi.